D1586292

DANIELLE SEMELLE

SOYEZ FENG SHUI

au XXIᵉ siècle

PRESSES DU CHÂTELET

Si vous souhaitez recevoir notre catalogue
et être tenu au courant de nos publications,
envoyez vos nom et adresse, en citant ce
livre, aux Presses du Châtelet,
34, rue des Bourdonnais, 75001 Paris.
Et, pour le Canada, à
Édipresse Inc., 945, avenue Beaumont,
Montréal, Québec, H3N 1W3.

ISBN 2-84592-012-1

Introduction

Le Feng-shui est une **philosophie** fondée sur l'interaction entre l'homme et son lieu de vie. Le Feng-shui est une **tradition** de la Chine ancienne, dont l'origine se perd dans la nuit des temps extrême-orientaux.

Le Feng-shui est une **cosmogonie**, en ce sens qu'il s'intéresse à l'organisation de l'univers, dont l'être humain est un élément actif.

Le Feng-shui est une **symbolique** qui se propose de décrypter chaque espace en fonction de symboles mythologiques.

Cette approche du monde, qui prend sa source dans le taoïsme (principe d'harmonie entre les contraires, le *yin* et le *yang*), se rapproche de la **géobiologie** (étude de la maison).

Cet ouvrage rassemble des conseils concrets relevant du Feng-shui « **personnel** », qui s'applique directement à l'individu, du Feng-shui « **extérieur** » (maisons et jardins) et du Feng-shui « **intérieur** » (disposition de l'appartement ou de la maison).

Ces conseils touchent notamment l'utilisation de certains **éléments de décoration** selon leur couleur ou leur forme, la **répartition des pièces** et la forme générale de la construction, l'application de règles liées à l'**orientation** ou à la **lumière** dans la maison afin de favoriser la circulation du *ch'i* (énergie indispensable à la vie) dans les lieux de séjour ou de travail.

Puisse le Feng-shui rendre votre vie plus **harmonieuse** !

Danielle SEMELLE

Bienfaits du Feng-shui

Le Feng-shui est une philosophie qui se veut, avant tout, **pragmatique**.
Elle permet d'attirer des bienfaits et favorise les bonnes **opportunités**.
En Chine et ailleurs, faire appel à un « maître » en la matière est le signe infaillible que l'on souhaite **s'enrichir** et gravir les échelons de l'échelle sociale.

Le ch'i

C'est une force invisible,
une **énergie** indispensable à la vie.
On le trouve partout dans la nature,
et l'être humain ne vit que
grâce à son action.
Il est présent dans la respiration,
l'alimentation, la maison…

Expertise de Feng-shui

Une expertise de Feng-shui s'appuie avant tout sur la recherche du sens de circulation du **ch'i** dans les lieux de vie ou de travail. Mais elle s'intéresse également à l'**environnement** immédiat ou non de la construction.

Yin et yang

L'harmonie d'un lieu de vie se détermine en fonction de l'équilibre des principes **yin** et **yang**. Ces deux éléments sont en état de **compensation** permanente. Lorsqu'il y a trop de *yin* dans un lieu, ceux qui l'habitent sont facilement épuisés. S'il y a trop de *yang*, ils sont nerveux et agressifs.

Alchimie

Le Feng-shui affirme que l'être humain est habité par l'énergie de son **lieu de vie**. Mais l'homme apporte lui aussi sa propre vibration là où il demeure. On peut donc considérer qu'il y a une **alchimie** entre l'habitant et l'habitat.

Nature vivante

« La nature est vivante », dit le
maître de Feng-shui. La qualité de
son **énergie** résulte de deux grands
composants : la **terre**, *yin*,
principe féminin, passif ; le **ciel**,
yang, principe masculin, actif.

Le bonheur

Vous êtes à la recherche du bonheur ?
Votre propre maison peut vous aider dans
cette quête. Pour le trouver, il est
nécessaire que la construction soit édifiée
au bon **emplacement** (sur une terre
accueillante), dans la bonne **direction**
(entrée au sud) et édifiée au bon
moment (au cours d'une configuration
céleste favorable).

L'orientation

Dans un lieu bâti, l'énergie **positive** vient du **sud** ; elle donne et maintient la vie. L'énergie **négative** vient du **nord** ; c'est la raison pour laquelle les cimetières chinois sont toujours situés au nord des agglomérations.

Le sud

Quelle que soit l'orientation réelle de votre appartement ou de votre maison, le Feng-shui place la **porte d'entrée** de votre lieu d'habitation au sud, qu'il soit « réel » ou « symbolique ».

Bonne forme

Le Feng-shui permet d'aménager
un lieu de vie harmonieux. Tout repose
sur une forme idéale : le **quadrilatère**.
Carré et rectangle génèrent simplicité,
régularité des structures, ainsi
qu'une bonne répartition du *ch'i*.
L'**équilibre** des occupants
s'en trouve favorisé.

Énergies équilibrées

Si votre salle de séjour manque de **soleil**
et de **lumière**, elle est en excès de *yin* :
gare à la **fatigue** et à la dépression.
Au contraire, si de grandes baies vitrées
font entrer en abondance lumière
et soleil, elle est peut-être en excès
de *yang* : attention aux **maux de tête**,
et maîtrisez vos colères !

Les angles saillants

Tout aussi important que
l'aménagement intérieur de votre maison
est son **environnement immédiat**.
Observez les constructions qui
l'entourent et recherchez les **angles**
saillants dirigés vers vos portes et fenêtres.
Atténuez leur influence agressive en
interposant des **plantations** : arbres,
arbustes et haies fleuries.

Les cinq animaux

Cinq animaux animent, entourent et **protègent** votre maison : le maître de Feng-shui les apprivoise. Faites-les entrer dans votre habitation pour profiter de leur **énergie bénéfique**, en les dessinant et en les plaçant aux quatre points cardinaux.

Le serpent

Lové au **centre** de votre lieu de vie, le serpent produit une **énergie** tout à la fois captatoire et diffusante, qu'il harmonise grâce à une action sage et raisonnable. Associé au **jaune-brun**, couleur de la **terre**, il est immuable en toute saison. Il est lui-même protégé par les quatre autres animaux.

Le phœnix

Situé au **sud**[1] devant la façade de la maison (ou de l'immeuble), cet oiseau mythique est immortel. Il est associé au **rouge**, couleur du **feu** et de l'**été**. Sa grande beauté influe positivement sur l'entrée de la maison, et son champ de vision étendu en vol lui permet de recueillir des informations **prémonitoires** et **protectrices**.

---

1. Symbolique ou réel.

Le dragon

L'antre du dragon est situé à l'**est**[1] de la maison (ou de l'immeuble). Cet animal mythique est associé à la couleur **verte**, à l'élément **bois** et au **printemps**.
Plus proche de la terre que le phœnix, sa perception est large car il reçoit des informations transmises par l'oiseau.
Son pouvoir est important sur les travaux de l'**esprit** et la **spiritualité**.

1. Symbolique ou réel.

Le tigre

L'**ouest**[1] est protégé par le tigre, animal bien
réel. Sa toison est de couleur **blanche**.
On l'associe au **métal** et à l'**automne**.
Situé à droite de la maison, il est toujours
prêt à bondir à la moindre menace ; il est
donc impératif de le contrôler. Il représente
la **force physique**, celle qui défend et celle
qui attaque !

---

1. Symbolique ou réel.

La tortue

Le **nord**[1] est l'emplacement choisi par la tortue. Avec son imposante carapace, c'est l'animal protecteur par excellence.
Elle représente et favorise la **stabilité** et la **sécurité**. Située à l'arrière de la maison, elle la préserve des attaques de toutes sortes.
Elle symbolise la couleur **noire**, l'**hiver** et l'élément **eau**.

---

1. Symbolique ou réel.

Couleurs

Le Feng-shui a recours à de nombreux **symboles**, et particulièrement à la symbolique des couleurs.

Dans de nombreux cas, elles permettent d'**harmoniser** un lieu de vie ou de travail.

Les six couleurs originelles du Feng-shui sont : le blanc, le rouge, le jaune, le vert, le bleu et le noir.

Protection

La maison doit protéger son dos,
c'est-à-dire le **nord** (réel ou symbolique),
à l'opposé de la façade. Pour réaliser
une bonne protection, on peut utiliser
la configuration naturelle du terrain,
par exemple une petite **colline**, ou
planter quelques grands **arbres**.

Accueil

La façade de la maison doit être « ouverte » pour bien accueillir le *ch'i*… et les amis. Il est recommandé d'agrémenter l'accès principal avec des **fleurs** et des **arbustes**. Une allée légèrement **courbe** est bénéfique aux habitants de la maison.

Entrée

De même que le climat influence la récolte, l'orientation de la porte d'entrée influence le **destin** de ceux qui habitent la maison. Pour favoriser la chance et la réussite, la porte sera, idéalement, située au **sud**. Son accès doit être aisé, sans aucun obstacle.

Richesse

Pour attirer la fortune, rien de tel qu'un **bassin** dans lequel nagent quelques poissons rouges et noirs, ou une petite **fontaine** placée devant la façade. L'eau est le symbole de la richesse, surtout si elle est active (fontaine qui jaillit, cascade…).

Laisser filer l'argent

N'installez jamais votre **piscine**
à l'arrière de votre maison, dans
le domaine de la **tortue**, laissant
le « dos » sans protection.
Dans cette configuration, l'argent,
n'étant plus « retenu », a tendance
à prendre la fuite…

Yang

Le *yang* est l'énergie **positive**
nécessaire à l'activité et à la
vie professionnelle.
Il est présent dans le mouvement,
l'expansion, la chaleur, ce qui est
solide, les sommets, la lumière, le jour
et le soleil. Toutefois, il peut devenir
néfaste en cas d'excès.

Yin

Le *yin* est l'énergie **opposable**, et complémentaire du *yang*.
Présent dans la nuit, l'ombre, dans le repos, le calme, la contraction, le froid, l'eau et la terre, il est aussi nécessaire à la vie
Son excès est nuisible.

Circulation du ch'i

La qualité du *ch'i* d'un lieu est
directement liée au mouvement
de cinq éléments créateurs et
complémentaires. Le **bois** engendre
le feu. Le **feu** engendre la terre.
La **terre** engendre le métal.
Le **métal** engendre l'eau.
L'**eau** engendre le bois.

Objets harmonisants

Harmonisez votre maison ou votre
appartement à l'aide de quelques objets,
tels que **tableaux** ou gravures, **fleurs** ou
plantes naturelles, **statuettes** religieuses
ou non, des **miroirs**, un **aquarium** ou
une petite fontaine, une source de
lumière naturelle ou électrique…

Les formes

L'architecture contemporaine a tendance à créer des formes néfastes au bonheur. Les **angles**, triangles, flèches et **pointes** sont générateurs de Feng-shui négatif, avec son cortège de funestes conséquences.

Le carré

Il permet une bonne répartition
de l'énergie, favorise la stabilité
des habitants et apporte à leur vie
régularité et **équilibre**.
C'est la forme idéale pour
une pièce, un appartement,
un terrain ou une maison.

Le cercle

Cette forme, idéale pour un **lieu de culte**, est rarement bénéfique pour une vie familiale traditionnelle. Méfiez-vous des inventions architecturales et des maisons dites « **biotiques** » qui s'inspirent de cette forme.

Le triangle

Cette forme malcommode est assez
prisée des architectes contemporains.
Par sa configuration même, elle gêne la
circulation régulière de l'énergie.
De plus, cette forme est génératrice
de **conflits** et de **malentendus**
entre les habitants.

Formes en « l » ou en « t »

Ces formes ne sont positives ni pour un terrain, ni pour une maison, car elles génèrent des « **manques** » : d'argent, de famille, de travail, de reconnaissance…

Pour compenser cette **influence négative**, il faut recréer le quadrilatère (carré ou rectangle complet) grâce à quelques astuces : dallage, parterre, ou bien en construisant un petit muret.

Flèches empoisonnées

On appelle « flèche » tout **obstacle** ou toute
construction **« agressive »** à proximité de
votre lieu d'habitation.
Les flèches peuvent « empoisonner » votre vie.
Ce peut être un **grand arbre** qui, propice à
l'arrière de la maison, devient néfaste devant
l'entrée, mais aussi une cabine téléphonique,
un poteau, un immeuble anguleux ou pointu,
une **voie de chemin de fer**, une station de
métro, une grue de chantier…

Environnement bénéfique

Que vous habitiez en ville ou à la
campagne, dans une maison ou un
appartement, veillez bien à la **vue** que
vous avez de vos fenêtres : un **jardin**,
un parc, une **forêt**, un bâtiment arrondi,
une **fontaine**, un bassin, un cours d'eau,
un **étang** ou un lac… Tout cela
est bénéfique pour votre équilibre et
votre *ch'i* personnel.

Routes

Une maison placée entre deux routes
(devant et derrière), un immeuble situé
entre deux rues sont considérés
comme néfastes. Cette configuration
engendre pour les habitants
insécurité et **stress**, parfois
compliqué de troubles du sommeil.

Églises et hôpitaux

Des fenêtres qui s'ouvrent sur un bâtiment ou un lieu directement ou symboliquement lié à la **souffrance** et à la **mort** est toujours un mauvais Feng-shui. C'est le cas des hôpitaux, des **cimetières**, mais aussi de tous les édifices religieux tels qu'églises, temples, etc.

Fenêtre

Le Feng-shui considère que les fenêtres, au même titre que les portes, sont les **points d'entrée du *ch'i***. Si la vue que l'on a de la porte d'entrée influence toute la maison, à l'inverse, la vue que l'on découvre d'une fenêtre n'a d'influence que sur la pièce concernée.

Les shas

Les *shas* sont des **formes fines** et **agressives** comparables à des « flèches empoisonnées ». Ce sont, par exemple, les **croix** que l'on trouve au sommet des églises, les **antennes** de télévision, les **pylônes** électriques… Il est bon de s'en protéger par des plantes, des stores, ou bien par la couleur symbolique de l'orientation.

Tortue symbolique

Vous habitez un appartement et vous manquez de protection **à l'arrière** (côté opposé à l'entrée). Sachant que le « danger » potentiel peut se manifester de ce côté, protégez vos fenêtres et ouvertures par des **rideaux** le jour et des **volets** la nuit. Vous pouvez également dessiner une tortue noire et la placer à l'extérieur.

Entre yin et yang

Avant d'acheter une maison ou
un terrain, vérifiez que le site
est **équilibré**. Choisissez un
lieu protégé au **nord** par une colline,
une forêt ou une autre maison *(yang)*,
et ouvert au **sud** sur le bord de
mer, un lac, une rivière ou un
grand champ *(yin)*.

Ch'i personnel

Si vous avez su développer et
entretenir un bon *ch'i* personnel
grâce à une **vie harmonieuse**,
un travail qui vous **plaît**,
une **attitude positive** dans la vie
quotidienne, vous influencerez
bénéfiquement le *ch'i* de
votre lieu de vie.

Le nord

Symboliquement, le nord de votre maison
ou de votre appartement est le côté
opposé à la porte d'entrée.
La configuration est favorable s'il s'agit
également du **nord géographique**.
Il est bon d'utiliser des **couleurs chaudes**
sur les murs situés dans cette direction
et d'éviter les grandes ouvertures.

Le sud

Symboliquement, le sud de votre maison ou de votre appartement est le côté de la **façade** et de la porte d'entrée.

La configuration est favorable s'il s'agit également du **sud géographique**.

C'est la direction la plus favorable pour la **réussite**, le **bonheur**, l'**amour** et la **santé**.

Les grandes ouvertures lui sont bénéfiques.

C'est la direction à laquelle il faut porter le plus d'attention.

L'est

Symboliquement, l'est de votre appartement
ou de votre maison est la partie située
à **droite** en entrant. La configuration
est favorable s'il s'agit également de
l'**est géographique**. Dans cette zone,
utilisez des couleurs qui rappellent
le printemps : le **vert pâle**, notamment.
Les ouvertures de ce côté sont positives si
elles ouvrent sur des **arbres** ou un **jardin**.

L'ouest

Symboliquement, l'ouest de votre
appartement ou de votre maison est la
partie située à **gauche** en entrant.
La configuration est favorable s'il s'agit
également de l'**ouest géographique**.
C'est le bon endroit pour placer une petite
fontaine, un aquarium ou une fenêtre qui
ouvre sur de l'**eau** (lac, bassin, mer…).

Miroir

Que vous habitiez dans une maison ou
dans un appartement, évitez les portes
d'entrée qui ouvrent sur un **mur** ou une
autre porte. Dans ce cas, placez un miroir
ou une gravure sur l'obstacle qui fait face
à l'ouverture. Autre exemple : face à
un recoin, un renfoncement exigu,
placez un **miroir**. Vous pouvez aussi
peindre ce coin dans la couleur-symbole
de la zone où il est situé.

Couloir

Si, dans votre appartement ou votre maison, les pièces sont distribuées par un vestibule très **étroit** ou un couloir **sombre**, l'énergie y circulera mal. Améliorez ce piètre Feng-shui en installant une **lumière** assez vive ou des décorations « sonores », par exemple des **mobiles**.

Eau bénéfique

En **ville**, les appartements sont soumis à nombre d'influences négatives liées à l'environnement ou à la configuration des pièces. Pour les améliorer, placez une petite **fontaine** ou un **aquarium** dans l'entrée. Cette eau animée attire l'argent et la **réussite**.

Angles

Bannissez les angles saillants dans les pièces à vivre. Si ce n'est pas possible, annulez leur influence néfaste en les masquant à l'aide de **plantes** ou d'**objets décoratifs** (statue, lampe, petit meuble, miroir). Toutefois, évitez les plantes et les miroirs dans les chambres.

Inconstance

N'oubliez pas, comme l'a dit le **Bouddha**, qu'il n'existe rien de constant si ce n'est le changement.

Poutres

Très à la mode dans les maisons rurales, les poutres apparentes produisent un mauvais Feng-shui et **perturbent** la circulation de l'énergie. Elles sont particulièrement néfastes au-dessus d'un lit. Pour les neutraliser, décorez-les avec « **flûtes chinoises** », ou faites-les « disparaître » en les décorant de **peintures**.

Télévision

Cantonnez la télévision, la chaîne hi-fi, l'ordinateur et tous les appareils électriques ou électroniques dans les **pièces de jour**. Les chambres doivent être calmes et sobrement décorées pour favoriser un sommeil réparateur.

A table

Ne vous asseyez jamais face à l'**arête vive** d'une table ou d'un meuble. Non seulement cela vous couperait l'appétit, mais votre digestion pourrait s'en trouver perturbée. Au cours d'un **repas d'affaires**, les négociations pourraient être difficiles.

Photos de famille

Pour maintenir l'**harmonie**
avec votre famille et par
respect pour vos proches
disparus, ne placez jamais
leurs photos face aux toilettes,
ni dans un escalier.

Chambre d'enfant

Le **rose saumon** est la couleur du bonheur que procure la présence d'enfants dans une maison. Pour faciliter et favoriser la **procréation**, décorez la future chambre de votre bébé avec une peinture ou un papier peint de cette teinte.

Un oranger

Si vous habitez un appartement,
faites entrer **richesse** et **joie** dans
votre intérieur en plaçant un
oranger dans la pièce principale.
Si vous vivez dans un **pavillon**,
l'été venu, placez-le à l'extérieur,
près de la porte d'entrée.

Âme sœur

Vous cherchez une **compagne** ou un **compagnon** ? Placez des objets décoratifs en deux exemplaires dans la zone « mariage » de votre appartement ou de votre maison, c'est-à-dire au **nord-est**.

Bureau

Si votre lieu de travail est un
bureau, orientez votre **chaise** face
à la porte. Vous favoriserez
le **bon accueil** et éviterez
les malentendus et
les incompréhensions avec
vos collègues et vos clients.

Long couloir

Une pièce située au fond d'un couloir long et étroit est dans une situation défavorable, sauf s'il s'agit des **toilettes**. Contrez cette mauvaise influence en décorant la porte ou en la peignant avec la couleur correspondant à cette zone.

Escaliers

Même s'ils sont peu encombrants
et bien pratiques, il vaut mieux
éviter les escaliers en **colimaçon**.
Un escalier d'une bonne largeur et
légèrement sinueux est préférable.
Éclairez un escalier trop étroit
d'une lumière vive.

Photos de famille

Ne placez jamais à proximité
immédiate les photos des membres
de votre famille encore en vie
et celles des disparus.
Placez celles des **vivants** au **sud**
ou à l'**ouest**, celles des **morts**
au **nord** ou à l'**est**.

Miroirs

Le miroir est un accessoire
indispensable. Il permet d'améliorer
la circulation du *ch'i*. Toutefois, il faut
éviter de le placer dans la **chambre
à coucher** (habitude hélas fréquente
dans notre pays).
A tout le moins, veillez à ce qu'il
ne reflète pas votre lit.

Êtres vivants

Les **animaux** – chiens, chats, poissons, lapins… –, tout comme les **plantes**, favorisent le bon Feng-shui d'une maison ou d'un appartement. C'est d'autant plus important si vous habitez en **ville**, c'est-à-dire dans un environnement coupé de la vie naturelle.

Région vallonnée

Habiter une région vallonnée
favorise la **vie** car collines et
montagnes engendrent
généralement un bon Feng-shui.
Les « **dragons** » telluriques y
sont plus actifs et positifs.

Fenêtre

Pour permettre une bonne
circulation du *ch'i*, on ne percera
pas une fenêtre exactement
en face d'une **porte**.
Ou bien on placera un **meuble** ou
un **paravent** entre les deux.

Porte vitrée

Une porte vitrée à l'intérieur
d'une maison contribue à
un mauvais Feng-shui.
Remplacez les carreaux
transparents par des **vitraux
de couleur**.

Pilier carré

Quel que soit le lieu où il se trouve,
un pilier carré au milieu d'une pièce
est un **« obstacle »** qu'il
faut « supprimer » !
Les piliers carrés perdent leur
« existence » si vous les recouvrez
de **miroirs** ou si vous les décorez
avec des **gravures**.

Pilier rond

Les piliers carrés (plus que les ronds)
sont des **obstacles** à la circulation
du *ch'i*. Pour les annihiler
symboliquement, vous pouvez,
par exemple, faire grimper des
plantes autour des fûts, les **peindre**,
les **décorer**…

Cactées

Vous aimez les cactus et toutes les plantes à **« structure agressive »** ?
Fort bien… mais évitez de les placer dans l'**entrée** de votre appartement ou de votre maison ou près de la porte s'ils se trouvent à l'extérieur !

Fleurs fanées

Chez vous, et notamment dans les **chambres**, ne conservez jamais de fleurs fanées ou de plantes mortes, car elles vampirisent votre **énergie**.

Anniversaire

Jour important que celui de votre anniversaire ! Habillez-vous de **rouge** (totalement ou en partie), décorez la table du repas d'une nappe ou de décorations de cette couleur… Vous appellerez ainsi le **bonheur** pendant toute l'année.

Araignée

« Tout ce qui vient du ciel
est béni ! »
Cet adage malicieux s'applique à
l'araignée qui descend au bout de
son fil. Elle symbolise le **bonheur
céleste** ; aussi, évitez de la tuer !

Cendre

La cendre de la cheminée est un symbole de **richesse**. Lorsque vous nettoyez votre **cheminée**, laissez toujours un petit tas de cendre au centre de l'âtre.

Portes extérieures

Les **gros clous** décoratifs
apparents plantés dans le portail
ou la porte d'entrée, à l'extérieur
de la maison, sont censés
préserver les habitants
– humains, animaux et plantes –
des maladies.

Éternuement

Penser fortement à quelqu'un
le fait éternuer. En Chine, on ne
dit pas : « A vos souhaits »,
ou : « A vos amours »,
mais : « Mille ans de vie ! »

Nouvel an

Les Chinois fêtent la nouvelle année en **février**. Ils sortent les dragons dans les rues et font exploser des **pétards**.
Faire un grand **feu** ce jour-là est propice à l'abondance et à une vie agréable.

Régime amaigrissant

Vous suivez un régime
amaigrissant ? Pour vous aider,
le Feng-shui vous conseille
de placer votre assiette sur une
nappe ou un **napperon**
de couleur **noire**.

Fleurs du jardin

Pour avoir un bon Feng-shui
dans votre jardin, rationalisez
vos parterres de fleurs :
placez ceux à dominante **rouge**
au **sud-ouest** et ceux à
dominante **blanche** à l'**est**.

Bleu clair

Le bleu clair est une **couleur duale** qui peut apporter croissance et espoir, mais aussi le **froid** et, d'une certaine façon, la **mort**. Il est donc préférable de l'éviter dans les lieux de vie.

Naissance

Vous souhaitez avoir une **fille**?
Avant la procréation, placez une
guirlande composée de **neuf**
perles **blanches** ou de neuf petites
fleurs blanches dans la zone
« enfant » **(ouest)** de la maison.

Contrebas

Si votre maison est située en contrebas d'une route ou d'un chemin, elle est **sous-alimentée** en énergie. Pour compenser ce manque, dotez les abords extérieurs d'un éclairage puissant, notamment au niveau du toit.

Vieil arbre

Vous avez la chance d'avoir un vieil arbre dans votre jardin ? Ou au pied de votre immeuble ? **Parlez-lui**, imaginez qu'il vous protège…
En cas d'intense **fatigue** morale ou physique, ressourcez-vous à son tronc (en lune montante).

Linge

Les Chinois disent qu'il ne
faut jamais laisser sécher
du linge dehors la nuit, car
cela attire les **fantômes**.
Et si c'était vrai?

Encens

Il existe un moyen simple, connu
de toutes les religions, de **purifier**
le *ch'i* de l'air : faire brûler
de l'encens. N'hésitez pas à
le faire chaque semaine, dans
les pièces principales de votre
lieu d'habitation.

Longévité

Le **chat** est un symbole réputé de longévité. Si vous en possédez un, il vous assurera une longue vie en vous protégeant des « **ondes nocives** », toujours nombreuses dans une maison ou un appartement.

Œuvres d'art

Gravures, peintures, dessins et autres
œuvres d'art sont des éléments
d'**harmonisation** auxquels
ont souvent recours les maîtres de
Feng-shui – avec une dilection
particulière pour les représentations
de **prés**, de **bambous** et de fleurs
de **prunier**.

Bonheur conjugal

Pour trouver et conserver le
bonheur conjugal et familial, vous
pouvez recourir aux symboles
suivants : la **pie**, les **canards**, le
lotus. Placés dans la zone
« mariage » **(sud-ouest)** de la
maison, ils font des merveilles.

Chapeau

Choisissez bien la **couleur** de votre couvre-chef : évitez les chapeaux, écharpes ou bérets **bleu clair**, car cette couleur est considérée par le Feng-shui comme **incertaine**, voire néfaste.

Lustres

Dans une **pièce principale** comme dans un **couloir sombre**, un lustre ou une lampe en cristal sont des objets bénéfiques, car ils attirent le bon *ch'i* et favorisent sa circulation.

Musique

La musique gaie et bruyante (particulièrement les **tambours** et les **cymbales**) est porteuse de **bonnes vibrations**. Au moins une fois par jour, pendant quelques minutes, allumez fortement votre poste de radio ou votre chaîne afin que la musique se répande dans toute votre maison.

Pa-koua

Le *Pa-koua* est une figure géométrique octogonale (voir ci-dessus) qui représente les **huit directions** et leurs symboles associés. Il sert de **protection** à l'extérieur des fenêtres ou des portes contre les *shas* et les « flèches empoisonnées ». Les maîtres de Feng-shui s'en servent pour étudier les éléments attachés à chaque orientation.

Escalier étroit

Pour « élargir »
symboliquement un escalier
sombre et trop étroit, on peut
utiliser un **éclairage** puissant
ou fixer des **miroirs** sur l'un
des murs.

Pylône électrique

Un pylône électrique est un *sha* qui génère
tout à la fois une forme et une vibration
négatives pour votre maison, votre
appartement ou votre espace commercial.
Dissociez-vous de lui en le dérobant à
votre vue par un écran d'**arbres**, des
stores aux fenêtres, etc.

Minéraux

Si vous collectionnez les pierres,
cristaux et galets que vous rapportez
de vos voyages, exposez-les dans
la zone **ouest**, celle de
l'**énergie terrestre**.
La présence de ces pierres favorisera
une bonne énergie.

Plan carré

Prenez le plan de votre maison ou de votre appartement. En suivant les murs extérieurs, inscrivez-le dans un **quadrilatère**. Vous constaterez peut-être que certaines parties dépassent de votre tracé, d'autres non. Chacun de ces « **manques** » ou « **excès** » a son importance dans le Feng-shui.

Table ronde

Pour la **convivialité**, il est toujours préférable de manger autour d'une table ronde. Elle abolit la préséance, chacun peut s'exprimer librement. Surtout, elle supprime les **angles**, facteur d'agressivité.

Ordinateur

Dans votre bureau, si vous en avez la possibilité, placez votre ordinateur dans la zone **ouest**. Votre travail sera **facilité** et vos courriers seront beaucoup plus **efficaces**.

Carillons

Les petites cloches qui tintent, les carillons
musicaux sont des éléments **positifs** qui
attirent le bon *ch'i*.
Ils harmonisent les **vibrations** des lieux
où vivent les hommes, surtout s'ils sont
placés devant l'**entrée** de la maison.
Placés dans le vent du nord-ouest, ils sont
sources de **chance** et de **longévité**.

Labyrinthe

Être obligé de parcourir un chemin
« labyrinthique » pour entrer chez
vous est de **mauvais augure**.
Contourner des **obstacles** pour
entrer dans un lieu est contraire
aux préceptes du Feng-shui :
cela freine ou arrête le *ch'i*.

Fontaine

Vous envisagez d'installer une fontaine
devant la façade de votre maison ?
Situez-la bien au **centre** : c'est la
configuration la plus favorable.
Si vous la placez trop à gauche
en entrant, votre couple risque
la **séparation**.

Cheminée

Dans une pièce trop *yin*
(qui manque de *ch'i*),
installez une cheminée,
si possible dans la zone **sud**
de la pièce.
Évitez le nord-ouest.

Montagne

Évitez d'habiter une maison
située dans une zone de
montagnes **escarpées** :
cela favorise une diffusion
et une **dispersion** trop
rapide du *ch'i*.

Cascade

Habiter au pied d'une cascade ou d'une chute d'eau naturelle est particulièrement profitable pour la **santé**, car le frottement de l'eau est générateur d'**ions négatifs**. L'eau attire également l'**argent** et la **réussite**.

Soleil

Pour activer la zone **sud** de votre
lieu d'habitation, vous pouvez y
placer une gravure ou un objet
qui rappelle le soleil.
Vous favoriserez ainsi
la **croissance** et
les nouvelles **opportunités**.

Toilettes

Si l'on en croit le Feng-shui, les
toilettes sont **toujours** mal placées.
Vous ne feriez que renforcer
leur aspect **négatif** en
les agrémentant de gravures ou de
toute autre décoration. De plus,
l'eau de la chasse est réputée partir
avec votre argent!

Canapé

Ne placez jamais un canapé au **milieu** d'une pièce. Au contraire, protégez-lui le dos en le plaçant **contre un mur** ou, si vous ne pouvez faire autrement, contre un meuble ou un paravent.

Gravures

Afin de favoriser votre **sommeil**,
soyez attentif à l'environnement
de votre lit. Pour les murs
de votre chambre, choisissez
de préférence des gravures ou
des peintures apaisantes,
calmes et reposantes.

Séjour

Pièce à vivre, le séjour doit
être meublé d'objets
« **vivants** » : radio, chaîne
hi-fi, télévision, gravures aux
couleurs vives, éclairages
lumineux, plantes, etc.

Escalier

Un escalier qui ressemble à une « **échelle de meunier** » n'est pas très favorable, en raison du **vide** qui sépare les échelons. L'énergie est alors dispersée et inefficace.

Portes

Les portes situées en **enfilade** ne sont guère propices, surtout si la porte d'entrée en fait partie. Pour **ralentir** la circulation du *ch'i*, suspendez des carillons, des lustres, etc., ou placez des plantes ou de petits meubles afin de créer une **barrière** symbolique.

Bureau

Dans un bureau, évitez de vous asseoir le **dos à la fenêtre**. La lumière se diffuse mal, et l'énergie qui pénètre derrière vous est particulièrement agressive. Protégez-vous avec des rideaux ou des plantes.

Pièces de monnaie

Pour attirer la **richesse** et réduire les fuites d'argent, accrochez quelques pièces de monnaie (chinoises de préférence) liées par un **ruban rouge** à l'intérieur de la porte d'entrée.

Aquarium

Pour que votre aquarium soit très efficace, il doit contenir **neuf** poissons, huit rouges et un noir. S'ils meurent, remplacez-les sans tarder.

Vaisselle

Jetez sans regret la vaisselle
fêlée ou **ébréchée**.
Manger dedans repousserait
inévitablement **réussite**
et **argent**.

Jaune

La couleur jaune symbolise la
puissance et la **sagesse**.
C'était la couleur de l'empereur
de Chine. Elle est bénéfique
dans la zone **centrale** de la
maison ou de l'appartement.

Cuisine

L'aménagement de la cuisine est aussi important que celui des pièces à vivre. Évitez de placer la **cuisinière** à côté de l'**évier**. Juxtaposer l'eau et le feu crée des tensions entre les habitants.

Lumière vive

Conseillée dans les couloirs étroits, une lumière vive est **néfaste** lorsqu'elle est située au-dessus de la tête ou dans une **chambre à coucher**.

Salle d'attente

Pour rendre **harmonieuse** une salle d'attente ou de réception, il est bon d'y disposer les éléments **bois** (plantes), **feu** (cheminée ou bougies) et **eau** (petite fontaine, aquarium…).

Chambre

La chambre est la pièce dans laquelle
on trouve le calme et le repos.
Si votre lit se trouve entre **deux
portes**, votre sommeil sera perturbé.
Protégez-vous de l'une des deux issues
par un **meuble** ou un **paravent**.

L'air et le ch'i

Le *ch'i*, tout comme l'air, entre par les **fenêtres**. Pour maintenir une bonne énergie dans les pièces, pensez à les **aérer** régulièrement. Quelques minutes chaque semaine, ouvrez plusieurs fenêtres à la fois.

Route droite

Si la façade de votre maison ou de votre immeuble fait **face** à une route droite, vous devez vous en protéger car il s'agit d'une « flèche empoisonnée ». Protégez votre maison par des **plantations** et les fenêtres de votre appartement avec un *Pa-koua*.

Bureau

Pour attirer les revenus et les
bonnes affaires, placez dans
la zone **est** de votre bureau
une **plante fleurie** ou un vase
avec des fleurs fraîches.

En montagne

Un **chalet** de montagne en bois est une demeure agréable. Il doit être situé à **mi-pente**. Trop près du sommet, l'énergie est trop *yang*; trop bas dans la vallée, elle est trop *yin*.

Gravures

Supprimez de vos murs gravures, dessins et tableaux représentant des **« pointes agressives »**, surtout si celles-ci sont tournées vers la **porte d'entrée**.

Commerce

Veillez à ce que rien ne gêne **l'entrée** des
« clients » dans votre lieu de travail,
surtout s'il s'agit d'un commerce.
Pour attirer les clients, placez des
lumières vives à l'extérieur pour éclairer
la façade et à l'intérieur pour favoriser la
vision et l'achat.

Animaux bénéfiques

Les animaux sont souvent représentés
dans les gravures chinoises.
La **carpe** symbolise la **réussite** en affaires
et la persévérance, surtout si elle est
associée au lotus. La **chauve-souris**
est considérée comme bénéfique;
lorsqu'elle est peinte en rouge, c'est
un **porte-bonheur**.

Plantes bénéfiques

Le **chrysanthème**, fleur des morts en Occident, est un symbole de bonheur en Chine. Il faut le cueillir le neuvième jour du neuvième mois et l'associer au **pin**.

Champ de vision

Quelle que soit la pièce dans laquelle vous vous tenez – salon, bureau, chambre à coucher –, vous devez toujours vous placer de façon à avoir la **porte d'accès** dans votre champ de vision.

Souhait

Vous avez un souhait particulier que
vous aimeriez voir se réaliser ?
Écrivez-le sur un papier **jaune**.
N'écrivez pas :
« Je veux », mais : « **J'ai** », puis
glissez-le dans une enveloppe de
couleur **rouge**.

Blanc

En Occident, le blanc, symbole de
pureté, est la couleur des mariées.
Pour les Chinois, le blanc est la
couleur de l'**hiver** et des
funérailles. Dormir sous
une **couverture** blanche
est donc néfaste.

Sommeil

Vous dormirez mieux si vous orientez votre lit de manière à avoir la tête tournée vers le **nord** ou l'**est**.
Placez la tête du lit contre un **mur**, et jamais sous une fenêtre.

Coin de la fortune

Favorisez le « coin de la fortune », au **nord-ouest** de votre appartement ou de votre maison, en y plaçant un symbole vivant, **plante** ou **aquarium** par exemple.

Célibataires

Vous cherchez l'âme sœur ?
Placez au **nord-ouest** de votre lieu
d'habitation un objet, des rideaux,
une gravure à dominante **rose
saumon**. Cette couleur attirera
l'**amour** et renforcera votre pouvoir
de **séduction**.

Porte d'entrée

C'est la porte la plus **importante** de votre lieu d'habitation. Elle ne doit pas faire face à celle des **toilettes** ou à une **arête** de mur.

Porte de la chambre

De même que la porte d'entrée, la
porte de la chambre à coucher ne
doit jamais faire face à celle des
toilettes ou de la **cuisine**. Si tel est
le cas, placez un **carillon** ou un
lustre entre les deux portes.

Crapaud

On trouve dans les boutiques chinoises des représentations symboliques de crapaud à trois pattes. C'est un **symbole positif** qui facilite la réalisation de **souhaits** réputés irréalisables.

Zones

La zone **nord** est associée à la **carrière**. La zone **est** correspond aux **enfants**. La zone **sud** est celle de la **renommée**. La zone **ouest** celle de la **famille** et de la **santé**. La zone **nord-est** est celle de l'éducation et de la **connaissance**. La zone **sud-est** celle de la **richesse**. La zone **sud-ouest** celle du **mariage**. Enfin, la zone **nord-ouest** est celle de l'**aide** et des soutiens.

Vert

La couleur verte symbolise la
sérénité, l'**espoir** et la **vigueur**.
Elle est associée au **printemps**.
Elle évoque le *ch'i* terrestre
favorable, surtout si vous la
situez dans la zone **ouest**.

Rouge

Le rouge est la couleur du **bonheur**
et de la **joie**. C'est celle que porte
la mariée chinoise. Si vous la
placez dans la zone **sud** de la
maison, elle vous apportera la
force du **feu** et la **renommée**.

Noir

La couleur noire (ou **marron foncé**) est ambivalente. Elle symbolise la **profondeur** et la **mesure**. C'est l'encre noire qui permet les gravures. Elle peut également représenter l'**absence d'espoir**. Il faut la situer au **nord**.

Chance

Au moment des **vœux** de nouvelle
année, vous pouvez renforcer leurs
effets sur ceux que vous aimez en
les écrivant sur du **papier rouge**
que vous glisserez à l'intérieur
d'une enveloppe rouge.

Chambre d'enfant

Évitez d'y placer de trop **gros meubles**, car ils oppressent le *ch'i* et déstabilisent l'enfant. Un grand meuble près de la porte peut causer des **foulures** ou des **fractures**.

Salle de bains

Lorsque vous ouvrez la porte de la
salle de bains, vous ne devez pas
voir la **cuvette** des W.-C.
en premier. Cachez-la derrière
un **petit meuble**, une **plante**
ou un **porte-serviettes**.

Mur oblique

Un mur oblique dans une pièce est une configuration très **néfaste**. Compensez cette situation à l'aide d'un **miroir** (sauf dans la chambre), d'une **gravure** ou d'une **peinture**.

Études

Pour aider vos enfants à faire de bonnes études, renforcez la zone de la connaissance **(nord-est)** de leur chambre par des symboles de couleur **bleu foncé** ou **vert**.

Bavards

Les bavards sont des individus
qui **rejettent** beaucoup de leur
ch'i vers l'extérieur, de
manière inconsidérée.
Au contraire, les **introvertis**
cristallisent le *ch'i* dans leurs
organes digestifs.

Experts

L'expert de Feng-shui ne s'intéresse
pas seulement aux aspects concrets de
la construction, il passe généralement
quelques instants à **méditer** avant de
réaliser son étude. Son *ch'i* n'en
est que meilleur et sa **lucidité**
plus grande.

Sommeil des enfants

Pour favoriser le sommeil de
vos enfants, faites-les dormir
dans la zone **est** de leur
chambre à coucher, qui est
celle de l'enfance.

Miroir

Un petit miroir **octogonal** placé à l'extérieur d'une fenêtre peut repousser l'influence d'une « flèche empoisonnée » ou d'un *sha* **agressif**.

Chercher le centre

Dessinez le **plan** de votre appartement ou de votre maison. Tirez des **diagonales** à partir des angles, afin de déterminer l'emplacement de son centre. Enfin, vérifiez que ce « centre » est exempt d'**objets néfastes** : cuvette des W.-C., évier, etc.

Le nord

Vous voulez **construire**
vous-même votre maison ?
Profitez-en pour donner aussi peu
d'importance que possible aux
ouvertures situées au **nord**
(géographique) : fenêtres plus
petites, absence de portes, etc.

Qui est Danielle Semelle?

Danielle Semelle pratique le Feng-shui et la géobiologie depuis près de vingt ans.

Elle est l'auteur de *ABC de la géobiologie* (Jacques Gancher, 1992) et de *La Géobiologie facile* (Marabout, 1997).

*Cet ouvrage composé
par Atlant'Communication
à Sainte-Cécile (Vendée)
a été achevé d'imprimer
dans les ateliers de Brodard et Taupin
en janvier 2001
pour le compte des Presses du Châtelet.*

Imprimé en France
N° d'édition : 112 – N° d'impression : 5902
Dépôt légal : janvier 2001